KB196676

감
사
의
글

제 일러스트의 팬을 자처하여 진심 어린 응원을 남겨주신 분, 그리고 저에게 소설 작품의 그림 작업을 맡겨주신 작가님을 모두 기억하고 있습니다. 저의 뮤즈가 되거나 함께 걸어준 친구들도 기억합니다. 덕분에 일러스트레이터로서 발걸음을 내디뎌 수십, 수백 장의 그림을 세상에 내보냈습니다. 그런 작업물들을 책으로 엮을 수 있도록 도와주신 작가님과 출판사, 그리고 담당자님 모든 분들께 감사의 인사를 드립니다. 제가 감사할 기억이 계속해서 늘어나기를 바랍니다.

Delta

델타 일러스트집

# 애정의 형태

• 이 책에 실린 웹소설 표지 일러스트와 팬아트는 출판사와 소설 작가의 허락을 얻어 수록했습니다.

• 작품의 설명은 각 출판사의 작품 소개 글과 작가님들의 조언을 바탕으로 정리했습니다.

• 팬아트 중 〈힐러〉 116~117쪽, 124쪽~125쪽, 〈캐럿〉 129쪽, 〈산발〉 200~201쪽의 대사와 지문은 각 소설에서 인용했습니다.

델타 일러스트집

# 애정의 형태

*The shape of affection*

테라코타

차례

# 5

그림의

시간 / 개인작

사랑이 어떻게 너에게로 왔는가

햇살처럼 꽃보라처럼

또는 기도처럼 왔는가

– 라이너 마리아 릴케 〈사랑이 어떻게 너에게로 왔는가〉 중에서

## 1

아늑하게

빛나는

# 이해성, 최홍서

<컴백>, 김다윗 지음, 도그 이어 | 주인공_이해성, 주인수_최홍서

현대물, 환생/빙의, 연예계, 오해/착각, 할리킹, 재회물, 애절물

연인을 지키기 위해 32층에서 뛰어내린 최홍서는 낯선 이의 몸에서 눈을 뜬다. 믿기 힘든 상황을 버틸 수 있는 희망은
유일하게 사랑했던 사람, 이해성. 조금이라도 가까이에서 그를 지켜보기 위해 최홍서는 영화 오디션에 지원하지만
당연하게도, 그는 최홍서를 알아보지 못한다. 이 환생은 과연… 기회일까, 형벌일까?

# 노벰버
# 원이재, 공지원

<노벰버>, 쏘날개 지음, 더클북컴퍼니(북스트림) ㅣ 주인공_원이재, 주인수_공지원

현대물, 재회물, 금단의 관계, 나이차이, 달달물, 성장물

모자 가정에서 다정한 어머니의 배려 속에 부족함 없이 자란 공지원은 어머니의 재혼으로 갑자기 재벌 회장 새아버지와
차가운 형이 생겨버렸다. 예민하지만 어리숙하고 엉뚱한 지원과 냉랭하고 무심하지만 지원에게는 흥미를 보이는 원이재.
재혼가정의 형제가 되는 바람에 안온하기만 한 그들의 일상은 긴장감이 넘친다.

———
아늑한 집착

# 차이헌, 서희민

**<아늑한 집착>, 유성화 지음, 톤(디앤씨미디어) | 주인공_차이헌, 주인수_서희민**

오메가버스, 차원이동, 빙의, 복수, 조직/암흑가, 달달물

피폐 BL 소설의 오메가 굴림수로 빙의한 서희민. 정신을 차리자마자 원작 수에게 복수심을 품은 차이헌의 손아귀에 떨어지지만
특유의 명랑함으로 매번 그를 당황시킨다. 피폐물을 꽃밭으로 만드는 햇살 같은 서희민과 말로만 복수하겠다고 할 뿐,
희민에게 속수무책으로 휘둘리는 차이헌의 아늑하기만 한 집착이 시작된다.

## 좀_물고 자면 안 돼요?
# 강태오

<좀_물고 자면 안 돼요?>, 하루후에 지음, 페로체(테라핀) | 주인공_강태오, 주인수_하은백

현대물, 수인물, 캠퍼스물, 친구>연인, 달달물, 삽질물

다섯 살 때 유치원 숲속반에서 만난 하은백과 강태오는 대학교까지 줄곧 같은 학교에 다닌 터라 서로에 대해 모르는 게 없다.
다만 은백에게는 밝힐 수 없는 비밀이 있다. 오랫동안 소꿉친구 태오를 짝사랑해왔다는 것.
눈치 없는 짝사랑수 은백과 무자각 다정공 강태오의 유쾌한 삽질 로맨스.

## 디어 마이 플라톤(Dear. my Platon)

# 순정

<디어 마이 플라톤(Dear. my Platon)>, 유소아 지음, 비하인드(북큐브) | 주인공_순정, 주인수_우이성

현대물, 캠퍼스물, 친구>연인, 코믹/개그, 달달물, 일상물

경제학부 우이성은 늦은 밤 부축빼기를 당하고 있는 철학과 순정을 도와준다.
학생회장의 의무감으로 도와줬을 뿐, 자신이 가장 싫어하는 비합리적, 비논리적, 비이성적인 순정과 더 이상 엮이지 않길 바란다.
하지만 세상이 합리적이고, 논리적이며, 이성적으로만 굴러가진 않는다며 돌진하는 순정 때문에 우이성의 이성마저 흐려지는데….

## 오! 주인님

# 한비수, 오주인

<오! 주인님>, 유나리 지음, 스토리존(동아시아) | 남주_한비수, 여주_오주인

현대물, 전문직, 연예인, 오해/착각, 계약동거, 달달물

긴 무명 생활 끝에 드디어 뜨기 시작한 배우 오주인. 탄탄대로가 펼쳐지나 했더니
엄마는 살던 집을 정리해 사라지고, 엄마가 남긴 전세 계약서를 들고 이사한 집의 주인이란 남자는 전세를 놓은 적 없다고 우긴다.
게다가 사기꾼이라 생각해 쫓아버린 집주인이 바로 스타 작가 한비수라니! 오주인은 과연 집도 지키고 드라마도 지켜낼 수 있을까?

## 내가 더 잘할게

# 이선 무어, 설반이

<내가 더 잘할게>, 상림(메리J) 지음, 도서출판 쉼표(스마트빅) | 남주_이선 무어, 여주_설반이

현대물, 외국인, 오해/착각, 전문직, 재회물, 달달물

인간 말종 짓을 한 애인을 대차게 떠나보낸 설반이는 모든 걸 털어내고자 찾은 이국의 여행지에서
바다를 품은 눈동자의 남자 이선을 만난다. 첫눈에 정신없이 빠져든 사랑, 어이없는 오해, 허무한 이별….
시간이 흐르고 우연히 재회한 뒤 알 수 없는 이유로 주위를 맴도는 이선 때문에 설반이는 혼란스럽기만 하다.

## 압생트- 너에게 미치다

# 김혁주, 계세이

<압생트- 너에게 미치다>, 그리며 지음, 에떼르넬(아이온스타) | 남주_김혁주, 여주_계세이

현대물, 전문직, 달달물, 애절물, 복수, 권선징악, 운명적 사랑

7년간의 외사랑을 정리하고 모든 에너지를 일에 쏟아내고 있는 태클 왕자, 김혁주. 그 앞에 나타난 소신 있게 엉뚱한 소설가, 계세이.
그런데 그녀의 정체가 조금 수상하다. 실화를 바탕으로 한 소설《기록》을 파고들수록 엄청난 진실을 마주하게 되는,
파헤치려는 남자와 감추려는 여자의 옥신각신 단짝 로맨스.

### 전남편과의 맞선

# 권도경, 우해주

<전남편과의 맞선> 신다온 지음, N.fic | 남주_권도경, 여주_우해주

현대물, 재회물, 재벌, 정략결혼, 오해/착각, 삽질물, 애절물

엄마의 강요에 못 이겨 스물네 번째 맞선에 나온 우해주는 맞선 상대 앞에서 숨을 쉴 수가 없었다.
상대가 그녀의 대학 선배이자 L그룹 회장의 차남, 그러니까 전남편 권도경이었던 것.
사업상 필요에 의해 결혼하고 서로의 마음을 채 알기도 전에 이혼한 해주와 도경의 돌고 돌아온 사랑 이야기.

# 지청해, 백호

&lt;용호상정&gt;, 아노르이실 지음, 비욘드 | 주인공_지청해, 주인수_백호

판타지물, 동양풍, 전생/환생, 초능력, 인외존재, 오해/착각, 애절물

가까운 사람이 생기면 다치거나 죽는 이상한 체질 때문에 외롭게 살아온 백호.
어느 날 유명 배우 지청해가 자신은 체질에 영향을 받지 않는다며 다가온다. 차가운 얼굴과 달리 살갑게 대하는 그가
백호에게 당혹스러운 부탁을 한다. 과거와 현재 긴 시간 동안 서로의 입장을 바꿔가며 같은 상황을 반복하는 두 사람의 사랑 이야기.

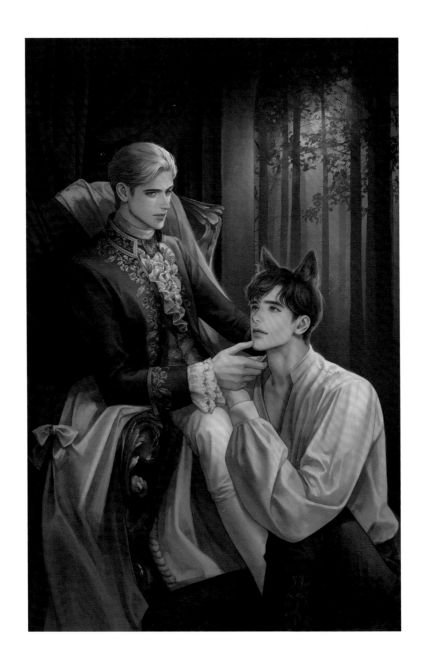

# 마르셀 라셩스, 레비 라 트레무아유

<귀환>, 틸루 지음, 비욘드 | 주인공_마르셀 라셩스, 주인수_레비 라 트레무아유

판타지물, 서양풍, 전생/환생, 수인물, 왕족/귀족, 첫사랑

겨울이 와도 얼지 않고 여름을 맞아도 태양보다 더 뜨겁게 사랑한 마르셀과 레비. 그들의 사랑은 역병이 창궐한 시절
의사 마르셀이 환자를 돌보다 전염병에 걸려 죽음으로써 시들어버리고 만다. 그러나 마르셀은 늑대인간으로 환생하여 연인 레비를 찾아오는데….
서로뿐인 두 사람은 죽음을 넘어 사랑을 지켜낼 수 있을까?

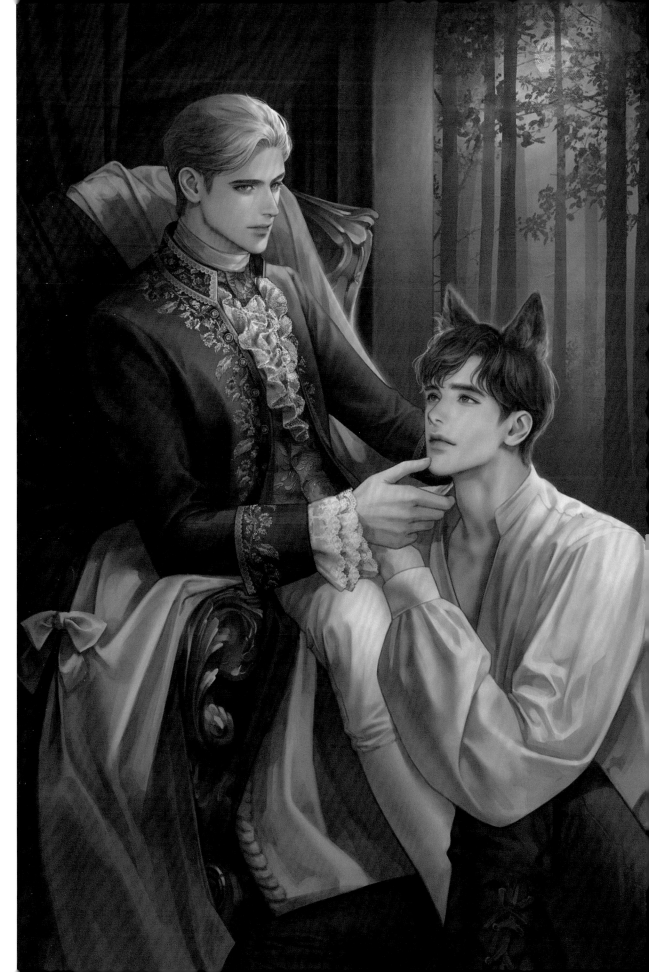

## 만약 신이 원하신다면

# 유스타스 라우, 윤재우, 야텐바움 메덴, 콕스 필립트, 말리크 디커

<만약 신이 원하신다면>, 우주토깽 지음, W-Beast | 주인공_유스타스 라우, 주인수_윤재우, 서브공_야텐바움 메덴, 콕스 필립트, 말리크 디커

판타지물, 차원이동, 인외존재, 나이차이, 코믹/개그물, 사건물, 다공일수

축구선수 재우는 다리를 다친 후 모든 것을 잃고 죽음을 택한다. 다시 눈뜬 세계의 네 신 중 하나가 제 다리를 고쳐줄 것임을 알게 되지만,
그 신이 북의 망할 개새끼, 남의 미친 새대가리, 서의 변태 말대가리, 동의 정말 싫은 사자새끼라니.
스물셋 어린것(?)이 미친 신들을 상대로 펼치는 차원이동 판타지 내 다리 내놔 모험물.

유스타스 라우, 윤재우

야텐바움 메덴

유스타스 라우, 윤재우

콕스 필립트

말리크 디커

그리고 그이는 빗속으로 가버렸지

말 한마디 없이 나는 보지도 않고

그래 나는 두 손에

얼굴을 묻고 울어버렸지

– 자크 프레베르 〈아침 식사〉 중에서

2

슬픈

그림 같은

---

## 침식

# 김선우, 주한영

<침식>, 늘봄하루 지음, 비욘드 | 주인공_김선우, 주인수_주한영

현대물, 오해/착각, 전문직, 일상물, 성장물, 잔잔물

죽은 형의 친구이자 연인이었던 김선우와 사귀고 있는 주한영. 2년을 사귄 김선우가 교통사고로
자신과의 일을 송두리째 잊은 걸 알고 마음을 접기로 한다. 죽은 형의 연인을 탐한 죗값을 치르고 있는 셈이라 여긴 것.
하지만 까칠하고 냉정하기만 했던 선우가 기억을 잃어버린 후 갑자기 다정해지는데….

켜켜이

모드(대원씨아이)

# 단밤술래
# 이도한, 윤담

<단밤술래>, 채팔이 지음, 필연매니지먼트 | 주인공_이도한, 주인수_윤담

현대물, 전생/환생, 인외존재, 재회물, 미스터리/오컬트, 3인칭시점

유명한 박수무당이었던 할아버지가 돌아가신 뒤 귀신과 요괴를 보기 시작한 윤담은, 평범한 삶으로 돌아가고자 도깨비를 찾아간 저택에서
귀면을 쓴 사내, 이도한을 만나게 된다. 도한 또한 밝은 눈을 가진 자로 귀신과 요괴를 보는데….
기묘한 일에 사로잡힌 둘은 목적을 위해 서로의 인생에 동행한다.

## 파멸의 늪

# 서범익, 이효원

<파멸의 늪>, 마리앤크로스 지음, 블리스(스튜디오 이케이) | 주인공_서범익, 주인수_이효원

현대물, 오메가버스, 첫사랑, 계약, 신분차이, 오해/착각, 재벌

JK그룹의 후원으로 아픈 아버지를 돌보며, 화가로서 꿈을 키우고 있는 효원. 어느 날 사채업자들이 효원의 집으로 들이닥치고,
쌍둥이 누나 이설이 사채를 썼다는 것을 알게 된다. 때마침 JK그룹에서 효원에게 은밀한 제안을 보내온다.
효원은 누나 이설의 빚을 갚기 위해 그 제안을 받아들이는데….

## 정복자의 침실

# 루키페르, 알테미온

<정복자의 침실>, 파토스 지음, 글로번 | 주인공_루키페르, 주인수_알테미온

시대물, 서양풍, 인외존재, 복수, 왕족/귀족, 배틀연애, 신분차이, 시리어스물

죽음도 비켜선다는 신탁을 받은 키쉬르의 왕, 루키페르. 그에게 패한 테베레의 왕은 연약한 꽃과 같은 알테미온에게
루키페르를 유혹해 약점을 찾아내라고 명한다. 알테미온의 의도를 눈치챘음에도 그를 품에서 놓지 못하는 루키페르⋯.
로마 신화를 배경으로 유려한 로맨스 서사가 펼쳐진다.

## 이리 오세요, 대공

# 케이, 에밀레오

<이리 오세요, 대공>, 플러터 지음, 페로체(테라핀) | 주인공_케이, 주인수_에밀레오

서양풍, 가상시대물, 왕족/귀족, 인외존재, 운명적 사랑, 애절물

비트레쉬아 제국의 황위 계승자였으나 공국의 대공으로 추락한 에밀레오. 어린 시절부터 지속된 학대로
무기력하게 삶을 연명하는 에밀레오 앞에 마치 그의 어린 시절을 빼다 박은 듯한 열다섯 살의 케이가 나타나는데….
평생 서로를 지켜주기로 약속한 두 남자가 그려내는 한밤의 달맞이꽃 같은 로맨스.

레드 앤 매드

# 람, 이예주, 황조롱이

<레드 앤 매드>, 권겨을 지음, 솔리테어(세임미디어) | 남주_람, 여주_이예주

가상시대물, 판타지물, 회귀/타임슬립, 초월적 존재, 갑을관계, 성장물, 피폐물

미래로 갈 수 있는 특별한 능력을 가진 예주는 갑자기 닥친 자연재해를 피해 천년 후로 갔지만 멸망하다시피 한 암담한 세상과 마주한다.
설상가상으로 초능력을 쓰는 잘생긴 미친놈이 죽이려 쫓아오기까지 한다. 살아남기 위한 예주의 눈물겨운 사투와 점점 밝혀지는 과거,
그리고 조금씩 변해가는 남자와의 관계….

## 폐월회설(蔽月回雪)

# 유렴, 백사윤

<폐월회설(蔽月回雪)>, 바스카 지음, 더클북컴퍼니(북스트림) | 주인공_유렴, 주인수_백사윤

가상시대물, 오메가버스, 동양풍, 궁정물, 첫사랑, 오해/착각, 사제관계, 약피폐물

스승 유렴을 연모하여 그의 후궁으로 입궁한 사윤. 하지만 유렴은 죽은 형의 부인을 황후로 들이려는 계획을 진행해가고,
그 모습을 지켜보는 사윤의 마음은 보답받지 못하는 사랑에 점점 황폐해진다. 사윤을 귀애하면서도 그저 제자로서 아끼는 마음이라 여기는 유렴.
그는 과연 자신의 진짜 마음을 깨닫게 될까?

천리인연일선견

# 천연윤, 강희사

<천리인연일선견>, 아르카나 지음, 비욘드 | 주인공_천연윤, 주인수_강희사

가상시대물, 동양풍, 궁정물, 왕족/귀족, 나이차이, 달달물, 힐링물

제국에 팔려 온 약소국 왕자 강희사는 하루아침에 귀비의 신분이 되지만, 그것은 황제의 살(殺)을 대신 받을 액받이가 필요했기 때문이었다.
백일 뒤에 죽어야 하는 신세인 줄도 모르는 희사는 다정한 황제가 마냥 좋기만 하다.
의도를 갖고 시작한 인연이, 진정한 사랑으로 변해가는 사랑스러운 이야기.

## 품격을 배반한다

# 데미안 에른스트 폰 티세, 클로이 베르디에

<품격을 배반한다>, 김빠 지음, 로즈엔 | 남주_데미안 에른스트 폰 티세, 여주_클로이 베르디에

서양풍, 왕족/귀족, 오해/착각, 갑을관계, 선 결혼 후 연애, 운명적 사랑

동생 앨리스가 돌이킬 수 없는 사고를 쳐버리는 바람에 베르디에 자작가의 장녀 클로이는, 위기에 빠진 가족을 구하기 위해
오만한 젊은 공작 데미안을 찾아가 일생일대의 도박을 시도한다. 필요에 의해 계약관계로 시작했지만
어쩔 수 없이 서로에게 빠져버리고 마는 뜨겁고 아름다운 로맨스.

밤은 사랑을 위해 있고

낮은 너무 빨리 돌아오지만

이제는 더 이상 헤매지 말자

아련히 흐르는 달빛 사이를

- 조지 고든 바이런 〈이제는 더 이상 헤매지 말자〉 중에서

## 3

위험하게

아름다운

---

로열 웨딩

# 페란스 로사델 카벨리카

<로열 웨딩>, 바밀씨 지음, 유즈 | 주인공_로젠게인 알란드 콜더스트(마르스티엘), 주인수_페란스 로사델 카벨리카

서양풍, 오메가버스, 회귀물, 복수, 오해/착각, 신분차이, 애절물

위스타드 왕국의 왕위계승자이자 오메가인 페란스 왕자는 선왕이 죽고 막 발현하던 시절, 섭정 아만다리스의 계략으로 그에게 각인하고 만다.
국정은 아만다리스의 손아귀로 굴러떨어지고 허울뿐인 왕관을 쓰고 살아가는 페란스.
어느 날 이국의 방문자가 각인을 푸는 법을 알고 있다는 소문을 듣는데….

## 불순해지는 시간
# 강도겸

<불순해지는 시간>, 동그람이 지음, 블랙로즈(작가컴퍼니) | 남주_강도겸, 여주_소정오

로맨스, 현대물, 재벌, 속도위반, 소유욕/독점욕/질투, 갑을관계

소정오는 상사와 부하 직원, 약점을 쥔 자와 잡힌 자라는 시작부터 비틀어진 관계인 강도겸의 아이를 임신하게 된다.
그 즈음 그가 다른 여자와 결혼한다는 사실을 알게 된다. 임신을 알아채기 전에 관계를 끝내려 하지만
절대 용납하지 않는 도겸 앞에서 그녀가 내릴 수 있는 결론은 하나였다. 도망쳐야겠다!

## 다정하지 않은 너에게
# 백준도, 한다정

**<다정하지 않은 너에게>, 황한영 지음, 이지콘텐츠(테라핀), 남주_백준도, 여주_한다정**

현대물, 갑을관계, 전문직, 사내연애, 운명적 사랑, 재회물, 애잔물

교통사고 트라우마로 고착화된 불면증을 어찌할 수 없었던 백준도는 원나잇 상대라 생각한 한다정 품에서 10년 만에 처음으로
수면제 없이 단잠을 자게 된다. 지독한 불면을 해결할 열쇠를 쥔 한다정에게 난생처음 집착이라는 걸 하게 되는 준도.
하지만 이름과 달리 다정하지 않은 다정은 단단히 철벽을 치는데….

# 에드리히 폰 데어 아인베른

**<도미넌트 캐슬>, 사하 지음, SOME | 남주_에드리히 폰 데어 아인베른, 여주_하제연**

현대물, 판타지물, 왕족/귀족, 오해/착각, 운명적인 사랑, 소유욕/독점욕/질투

오랫동안 닫혀 있던 고성의 문이 열렸다. 그곳에 숨어 있을 수많은 예술품을 연구하기 위해 찾아간 제연은 기묘한 일을 겪는다.
아름다운 성이 처참한 폐허로 보이는 순간에 나타난 성의 주인이자 군수업자인 백작 에드리히 폰 데어 아인베른.
어째서인지 그는 제연에게 묘한 관심을 내보인다.

# 덫에 걸린 늑대도 사냥을 꿈꾼다
# 서이한, 한윤오

<덫에 걸린 늑대도 사냥을 꿈꾼다>, 탕쥐 지음, 블랙아웃(북팔) | 주인공_서이한, 주인수_한윤오

오메가버스, 오해/착각, 구원, 피폐물, 애절물, 시리어스물

평범하게 살아온 윤오는, 늑대의 피를 이어받은 비밀스러운 '일족'과 '알파', '오메가'가 무엇인지 알지 못했다.
그러나 머뭇거릴 시간이 없다. 짐승 같은 알파들에게서 자신을 지키려면 정체를 숨겨야 한다.
혼란스러워하는 윤오에게, 대학 동기 이한은 페로몬을 가라앉힐 유일한 방법을 알려주는데….

## 조연으로 살겠다

# 태성연, 한도겸

<조연으로 살겠다>, 샴록 지음, 블리뷰(재미로엔터테인먼트) | 주인공_태성연, 주인수_한도겸

판타지물, 차원이동, 인외존재, 사내연애, 하극상, 배틀연애, 코믹물

자신의 소설《조연의 굴레》의 조연으로 빙의한 한도겸. 이곳엔 그의 소설 설정과 세계관을 훔쳐 가 글을 쓴 주의령까지 있다.
한도겸은 소설의 창조자지만 여기선 힘없고 가난한 E급 헌터일 뿐이라, 자신만 알고 있는 설정을 이용해 힘을 키우려 한다.
그러기 위해서는 S급 헌터 태성연과 계약을 해야 한다.

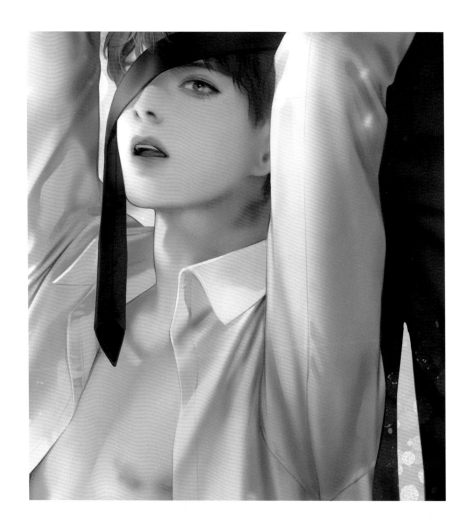

## 알파 셋, 베타 하나
# 황이현

&lt;알파 셋, 베타 하나&gt;, 늑대별아 지음, M블루(마야마루) | 주인공_김산, 노선율, 윤백겸, 주인수_황이현

오메가버스, 캠퍼스물, 빙의, 다공일수, 성장물, 달달물, 일상물

어찌 된 일인지 《수는 외로워》라는 광공들이 바글바글한 다공일수물에 빙의한 황이현.
안타깝게도 메인수를 괴롭히다 응징당하는 악역 캐릭터가 된 그는 '가늘고 길게 살자'주의자답게 어떻게 해서든 도망치려고 하는데.
웬걸, 그러면 그럴수록 알파 메인공들이 오메가도 아닌 베타 이현에게 집착해온다?

## 발칙한 제안

# 세스 카르델, 이은서(브리엔)

**<발칙한 제안>, 트리플베리 지음, 페퍼민트 | 남주_세스 카르델, 여주_이은서(브리엔)**

가상시대물, 서양풍, 빙의, 궁정로맨스, 속도위반, 운명적 사랑, 성장물

대학 합격의 기쁨을 누리고 있던 어느 날 낯선 세계에서 눈을 뜬 이은서. 소설 속 엑스트라인
'아르탄 왕국의 1왕녀 브리엔'으로 빙의했다는 것을 깨닫는다. 평화롭고 강대한 왕국에서 최대한 조용히 존재감 없이 살고자 하는데,
하필이면 소설 속 남자 주인공 세스 카르델과 엮이고 마는데….

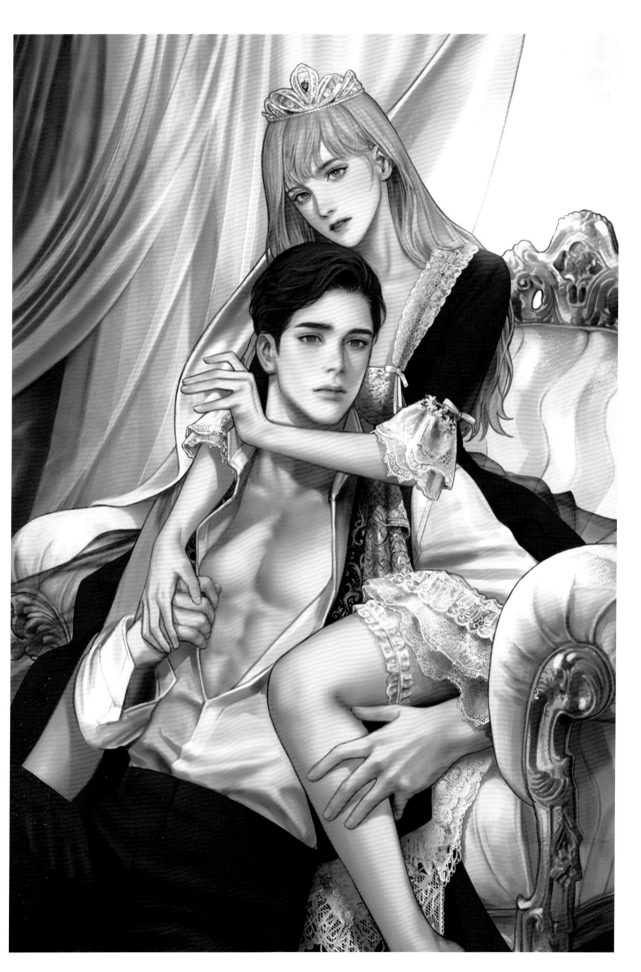

---

## 불건전 친구

# 차승준, 구여진

**<불건전 친구>, 송보배 지음, N.fic | 남주_차승준, 여주_구여진**

현대물, 친구>연인, 짝사랑, 연예인, 소유욕/독점욕/질투, 애잔물

여진은 20년 지기 소꿉친구이자 유명 배우인 승준을 10년째 짝사랑하고 있다.
어느 날 사고처럼 승준과 하룻밤을 보낸 후 여진은 절교 선언을 하고 지독한 짝사랑을 끝내려고 하지만,
어색한 관계 속에서 그와 불가피하게 엮이게 되는데…. 친구도 연인도 아닌 사이에 피어나는 달콤살벌한 로맨스.

## 나쁜 계약

# 차지석

<나쁜 계약>, 리키 지음, 로아(북팔) | 남주_차지석, 여주_임채원

현대물, 비밀연애, 금단의 관계, 첫사랑, 소유욕/독점욕/질투, 성장물

10년 전 남이 된 새아버지이자 JK그룹 회장이 채원의 앞으로 1%의 주식을 남겼다.
단, 예전에 살았던 저택에서 새아버지의 자식들과 2년을 지내야 한다는 조건. 채원은 교통사고로 장애인이 된 오빠,
불치병을 앓는 조카를 위해 한때 좋아했지만 가슴속에 묻어야 했던 차지석이 있는 집으로 들어가는데….

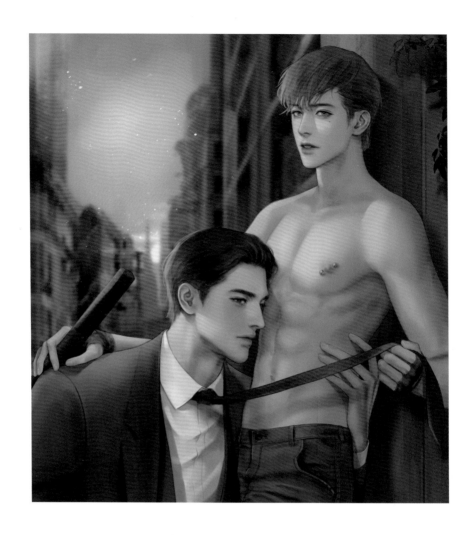

# 박명

# 우연호, 명채빈

<박명>, 허세요정 지음, B cafe(라온이앤엠) | 주인공_우연호, 주인수_명채빈

SF/미래, 판타지물, 가이드버스, 초능력, 배틀연애, 시리어스물, 사건물

세상 포기한 듯 살고 있는 C랭크 에스퍼 명채빈. 그를 보다 못한 죽은 아버지의 친구인 유광준은
갱생을 돕기 위해 전 세계에서도 손꼽히는 가이드 우연호를 소개한다. 우연호는 가이드로서의 호기심을 자극하는 명채빈에게 집착하고,
명채빈은 그로 인해 달라지는 자신의 능력, 감각, 감정이 두렵기만 하다.

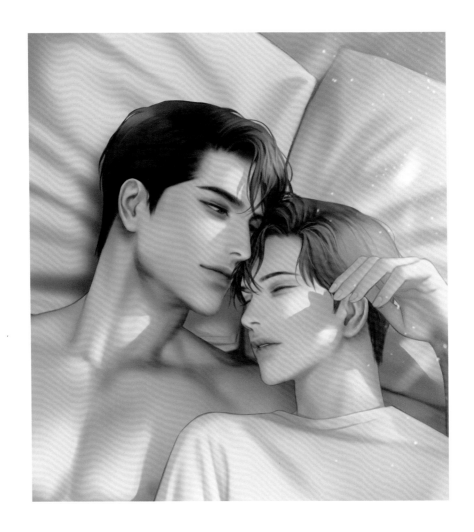

---

## 스타의 연애(대만판)

# 정호연, 김신

**<스타의 연애>(대만판), 블랙커피 지음, 平心出版社 | 주인공_정호연, 주인수_김신**

현대물, 첫사랑, 연예계, 나이차이, 조직/암흑가, 사건물, 재회물

어릴 적 화재 사건으로 연예인이 된 김신. 화려할 줄 알았던 연예인의 생활은 노예계약으로 인해 나락으로 빠지고 의문의 살인자에게
목숨까지 잃을 뻔했다. 그를 보호하기 위해 경호원으로 들어온 의문의 남자 정호연. 그와의 첫 대면에서 신은 놀람을 금치 못하는데….
사랑과 애증, 좌절 속에 피어나는 뜨거운 사랑! 해피엔딩을 향한 스타의 연애가 시작된다!

갑을의 재정의

# 권하강, 송다예

<갑을의 재정의>, 민지안 지음, 라떼북(미디어팟) | 남주_권하강, 여주_송다예

현대물, 오해/착각, 재회물, 사내연애, 갑을관계, 소유욕/독점욕/질투

6년을 사랑한 남자에게 다른 사람이 생겼다며 파혼을 통보받은 송다예. 죽음을 결심하고 마지막으로 떠난 라스베이거스 여행에서 하강을 만난다.
이름을 속이고 일탈하듯 그와 몸을 섞었을 뿐인데 마음마저 섞여버렸다.
또다시 찾아오는 사랑이 무서워 도망친 다예 앞에 3년 뒤 하강은 상사로 나타나는데….

이룰 수 없는 꿈을 꾸고

이루어질 수 없는 사랑을 하고

이길 수 없는 적과 싸움하고

견딜 수 없는 고통을 견디며

잡을 수 없는 저 하늘의 별을 잡자

- 뮤지컬 〈맨 오브 라만차〉 '이룰 수 없는 꿈' 중에서

4

작가시리즈

이토록

다채로운

메카니스트 / 진소예 / 시아 / 서경 / 하이레이첼

### 힐러

# 차이석, 장세진(야바)

<힐러>, 메카니스트 지음, 더클북컴퍼니(북스트림) | 주인공_차이석, 주인수_장세진(야바)

판타지물, 초능력, 오해/착각, 조직/암흑가, 첫사랑, 시리어스물, 사건물

노래로 사람을 치유하는 신비한 존재 힐러! 야바는 힐러인 코카인을 증오하면서도
그의 들러리로 세워지는 삶에 익숙하지만 단 하나, 코카인의 노래를 찾는 차이석에겐 무심해질 수가 없다.
한편, 모든 것을 치밀하게 계산해온 차이석 역시 유일하게 계산하지 못한 존재 야바가 신경 쓰이는데….

&lt;힐러&gt; '차이석' 팬아트
차이석이 걸을 때마다 셔츠와 바지가 척척 물을 게워냈다.
"안녕. 하도 반가워서 지름길로 왔지. 넌?"

&lt;힐러&gt; '야바' 팬아트

*야바는 가면 아래 숨어서 그를 마음 놓고 훔쳐보았다.*

**&lt;힐러&gt; '차이석과 순이' 팬아트**
차이석과 그의 목을 감고 있는 알비노 버미즈 파이톤, 순이. 뱀에 공포심을 갖는 분들을 위해,
색다른 애완동물 순이의 매력을 보여주고자 녀석의 얼굴은 귀엽게 표현되고 말았습니다.

**〈힐러〉 '차이석' 생일 기념 팬아트**

〈힐러〉가 재출간된 다음 해, 2021년 차이석의 생일 6월 3일을 축하하기 위해 그렸습니다.

**<힐러> '강기하' 팬아트**

강기하는 <힐러>에서 악역입니다만 미워할 수 없는 매력이 있습니다. 그의 목의 전갈문신 때문에요.

<힐러> '차이석과 야바' 팬아트

차이석은 야바를 '나비'라고 부르며 고양이 취급을 하곤 하죠.
차이석이 야바에게 "이제 나하고 살자 나비야."라고 하던 말 기억하시나요?

차이석은 뒤로 물러서며 담배를 물었다.

"이석아. 니가 주는 약 이상해."

중앙에 파인 펜촉이 귓구멍의 살점과 핏물을 물어뜯었다.

*"가지고 싶은 게 있어요. 그 사람은 차갑고 화려한 뱀 같아요."*

## 캐럿

# 차일현, 석류

<캐럿>, 메카니스트 지음, 더클북컴퍼니(북스트림) | 주인공_차일현, 주인수_석류

판타지, 연예계, 전생/환생, 오해/착각, 인외존재, 힐링물, 성장물

아름다운 외모와 무한한 능력을 가진 인간형 보석들은 안타깝게도 비밀리에 인간의 손에 거래되며,
봉사하다가 힘이 다하면 폐기되는 신세다. 그들의 소원은 영원히 함께할 수 있다는 '운명의 주인'을 만나는 것뿐이다.
주인에게 애처로울 정도로 헌신적인 석류는 과연 영원히 함께할 운명을 만날 수 있을까?

CARAT

**<캐럿> '석류' 팬아트**
'가넷'의 힘을 가진 인간형 보석 석류는 가넷 원석의 기운에 물든 와인빛 눈동자와 머리카락을 가지고 있습니다.

"그쪽은 볼 때마다 입김을 부는군요."

**<캐럿> '차일현' 팬아트**

규칙적인 구두 소리가 계단에 울리고, 볼이 날렵하게 빠진 검정색 차일현의 구두가 석류의 시야에 들어온 순간을 표현해봤습니다.

# CARAT

**<캐럿> '차일현' 팬아트**
차일현은 장난감을 좋아합니다. 가지고 놀던 드론에 연고와 가넷 목걸이 등을 실어 석류에게 선물하죠.

<캐럿> '차일현' 팬아트

석류와 대비되는 검은 머리의 차일현을 새빨간 석류꽃과 함께 그려봤습니다.

# 더 캐슬

# 이건, 조유연

<더 캐슬>, 진소예 지음, 네이버 시리즈 연재작, 크레센도(에이템포미디어) | 남주_이건, 여주_조유연

현대물, 가상시대물, 판타지, 초능력, 궁정로맨스, 삼각관계, 신분차이

왕실의 일원이 될 수 있는 귀안을 가진 유연은 어머니를 살릴 수 있는 신약을 제공받기 위해

자신 대신 서화제약 회장의 딸 최설아를 세자비로 만들어야 한다.

대한민국 30대 왕이 될 세자로서 진짜 자신의 비가 될 사람을 찾는 이건은 정체를 숨긴 유연의 비밀을 과연 밝혀낼 수 있을까?

<더 캐슬> 본문 삽화

이건

조유연

이우혁

치웅

궐

망량&청송

## 베리 굿
# 주승언, 권희재

<베리 굿>, 진소예 지음, 크레센도(에이템포미디어) | 남주_주승언, 여주_한채아

현대물, 추리, 수사관, 조직/암흑가, 재회물, 복수물, 사건물

동생이 위험하다는 전화를 받고 찾아간 술집에서 낯선 남자가 건네준 술을 어쩔 수 없이 마시게 된 한채아.
이후 의식을 잃고 원인불명의 교통사고 현장에서 깨어난 그녀는 술과 마약을 하고 운전한 범죄자가 되어 있었다.
그런 그녀에게 담당 검사라는 남자가 찾아와, 하나의 거래를 제안한다.

## 폭야(暴夜)

# 서지학

<폭야(暴夜)>, 진소예 지음, 윤송스피넬(도서출판 윤송) | 남주_서지학, 여주_이은하

가상시대물, 동양풍, 피폐물, 왕족/귀족, 암투, 신분차이, 오해/착각

시력을 완전히 잃은 척하며 자신의 복권을 경계하는 이들을 속이고 있는 폐세자 서지학.

자신의 연극을 좀 더 공고히 하고자 끌어들인 전기수에 불과한 이은하를 만난 후 그녀의 세상을 모조리 갖고 싶다는 욕망이 생긴다.

눈이 멀어가는 것도 두려워하지 않았던 그가 은하를 보지 못할까 봐 두려워하고 집착하는데….

## 딜레탕트(Dilettante)

# 줄리오 파렌티, 이하나

<딜레탕트(Dilettante)>, 진소예 지음, 윤송스피넬(도서출판 윤송) | 남주_줄리오 파렌티, 여주_이하나

현대물, 조직/암흑가, 군대물, 피폐물, 라이벌/앙숙, 삼각관계, 고수위

특수 용병 출신 이하나는 유일한 가족인 쌍둥이 남동생의 사망 소식을 듣고 진상을 파헤치기 위해 캄보디아로 출국한다.
누명을 쓰고 사망 처리된 동생을 찾기 위해선 냉혹한 마피아 보스 줄리오 파렌티를 끌어들여야 하는데….
특수 용병 출신과 마피아의 한 치 양보도 없는 위험천만한 로맨스!

참아주세요, 대공 (소장본 종이책)

# 클로드 델 이하르

<참아주세요, 대공>, 진소예 지음 | 남주_클로드 델 이하르, 여주_카닐리아 베일(>카닐리언 베일)

가상시대물, 성장물, 왕족/귀족, 남장여자, 신데렐라, 신분차이, 운명적 사랑

출생의 비밀이 밝혀진 날, 소녀는 빈민가를 떠나 전혀 다른 삶을 살게 되었다. 여인이 아닌 사내, 카닐리아가 아닌 카닐리언으로.
병약한 소후작이 건강을 되찾을 때까지 그의 모조품이 되어 후작가의 차남으로 살아야만 하는 그녀에게 클로드는
"네가 사내새끼든 짐승새끼든 이제 상관없다"며 다가오는데….

---

## 취(TAKE TO TAKE) <small>(소장본 종이책)</small>

# 카일 D 에이어

<취(TAKE TO TAKE)>, 진소예 지음 | 남주_카일 D 에이어, 여주_이연수

현대물, 외국인/혼혈, 전문직, 소유욕/독점욕/질투, 재회물, 운명적 사랑

21세기 최고의 위작이 엘리스 트윈에 모습을 드러냈다. 누구도 눈치채지 못했던 작품의 진위를 단번에 파악해낸, 큐레이터 이연수.

그리고 그녀를 욕망하기 시작한 다국적 기업 제너럴 A& 클래식 대표 카일 D 에이어.

이탈리아 베네치아에서의 첫 만남 이후 돌고 돌아 운명적으로 다시 만난 두 사람의 달콤한 로맨스!

## 나의 상냥한 빌런에게 (소장본 굿즈)

# 레이넌 폰 레오나르도

### <나의 상냥한 빌런에게>, 진소예 지음 | 남주_위르겐 악셀 에델레드, 여주_달리아 본클로제

가이드버스, 판타지물, 서양풍, 왕족/귀족, 회귀/타임슬립, 선 결혼 후 연예

균형과 조화라는 두 개의 힘을 동시에 가진, 달리아 본클로제와 시간의 힘을 가지고
다섯 번이나 생의 시간을 거슬러 회귀한 회귀자 위르겐 악셀 에델레드. 하루라도 더 살아남기 위해선, 둘에겐 서로가 절실하다.
권능을 가진 황태자 레이넌 폰 레오나르도에게도 달리아가 필요하지만 위르겐 때문에 이루어질 수 없는데⋯.

## 얼굴밖에 볼 게 없어

# 프리드 트래위즈, 아일라 페이지

**<얼굴밖에 볼 게 없어>, 이윤지(시아) 지음, 모먼트(위벨) | 남주_프리드 트래위즈, 여주_아일라 페이지(유한나)**

판타지물, 서양풍, 빙의, 왕족/귀족, 정략결혼, 선 결혼 후 연애, 달달물

남편에게 살해당한 후 다른 세상의 공작가 외동딸로 깨어난 아일라 페이지. 얼굴 하나만은 타의 추종을 불허하는 프리드 트래위즈와
정략결혼을 해야 한다. 그녀는 얼굴만 보고 결혼을 밀어붙였다고 생각해 질색하는 프리드에게 1년 후 이혼하자고 제안한다.
1년 후 프리드는 웬일인지 이혼하고 싶어하지 않는데….

## 이에스씨(ESC)

# 일리야, 류진

**<이에스씨(ESC)>, 시아 지음, 블래스트(위벨) | 주인공_일리야, 주인수_류진**

현대물, 오메가버스, 사건물, 배틀연애, 달달물, 3인칭시점

심심풀이로 손댄 가상화폐로 하필 러시아 마피아 보스 일리야에게 10억 달러라는 엄청난 손해를 입히고 잡혀온 류진.
1년 안에 모두 복구해주겠다고 보스 일리야를 상대로 협상을 시도한다. 분명 류진은 돈을 갚으려 했을 뿐이었는데 어째서…
마피아 보스와 그렇고 그런 사이가 되어버린 걸까?

## 컨트롤(CTRL)
# 차시헌, 요한 갈라예프

**<컨트롤(CTRL)>, 시아 지음, 블래스트(위벨) | 주인공_차시헌, 주인수_요한 갈라예프**

현대물, 오메가버스, 외국인, 재벌, 일상물, 3인칭시점

〈이에쓰시〉 연작으로 일리야와 류진의 쌍둥이 아들들 이야기. 외모는 일리야를 성격은 진을 닮은 첫째 요한이
라이벌 그룹의 혼외자 차시헌을 작정하고 꼬시기 시작했다. 요한은 모든 일에 냉소적이지만 못 하는 게 없고 머리도 좋은 시헌이 궁금하다.
요한의 동생 노아는 형의 그런 호기심이 못마땅하기만 하다.

## 아내는 나의 전부
# 최관우

**<아내는 나의 전부>, 서경 지음, 플로린 | 남주_최관우, 여주_박진아**

현대물, 애잔물, 친구>연인, 첫사랑, 운명적 사랑, 재회물, 3인칭시점

다섯 살 때 처음 만나 늘 함께였던 관우와 진아. 진아에게 관우는 하늘유치원 병아리반이라고 자신을 소개할 줄 아는 똑똑한 아이였고,
관우에게 진아는 매일매일 보고 싶은 예쁜 천사였다. 그들은 서로에게 자연스레 스며들어 사랑을 하고 결혼을 한다.
하지만 찬란하게 빛나던 결혼이 깨져버렸다!

### 다 줄게요

# 한태형, 윤세희

<다 줄게요>, 서경 지음, 도서출판 쉼표(스마트빅) | 남주_한태형, 여주_윤세희

현대물, 사내연애, 전문직, 재벌, 갑을관계, 소유욕/독점욕/질투, 달달물

세희는 사업을 위해 딸을 결혼 시장에 내놓는 상품 취급하는 새어머니 손아귀에서 벗어나고 싶어 한다.

그때 오만하고 차가운 줄만 알았던 HJ그룹의 한태형 상무가 새장 속에 갇힌 세희에게 기꺼이 날개를 달아주겠다며 다가온다.

차가운 얼굴로 다정한 말을 속삭이는 그를 정말 믿어도 되는 걸까?

## 위험한 사내연애

# 박현우, 김지수

### <위험한 사내연애>, 서경 지음, 플로린 | 남주_박현우, 여주_김지수

현대물, 달달물, 원나잇, 첫사랑, 재회물, 사내연애, 갑을관계

과거에 딱 한 번 원나잇 했던 남자, 현우를 직장 상사로 다시 마주한 지수는 당황스럽기만 하다.

엎친 데 덮친 격으로 그가 이웃사촌에, 남동생의 대학 선배라니. 앞으로 직장생활이 걱정인 지수는 끝까지 모른 척하기로 한다.

하지만 그녀에게 첫눈에 반했던 현우는 이젠 절대 놓치지 않으리라 다짐하는데….

---

## 그 인턴과 그 팀장의 사정

# 강민현

<그 인턴과 그 팀장의 사정>, Hirachell(하이레이첼) 지음, 알에스미디어 | 남주_강민현, 여주_고시은

현대물, 달달물, 법조계, 사내연애, 재벌, 사건물

로펌 '태평양'에서 승소율 95퍼센트를 자랑하는 파트너 변호사 강민현은 비밀스러운 이유로 어머니의 회사
'강인주류' 영업 1팀 인턴으로 들어간다. 최연소 팀장으로 영업 1팀을 빈틈없이 이끄는 고시은은
무탈한 직장생활을 하고 있다가 갑자기 등장한 거물급 인턴 때문에 부담스럽기만 한데….

## 배덕한 타인에게
# 박치경

<배덕한 타인에게>, Hirachell(하이레이첼) 지음, 텐북 | 남주_박치경, 여주_강태리

현대물, 법조계, 나이차이, 동거, 첫사랑, 소유욕/독점욕/질투, 재회물

검사 박치경은 번지르르하고 정상적인 겉모양새와 달리 누구보다 비정상적인 사고를 지닌 소시오패스로
제 영역 안에 둔 사람을 통제하려는 성향이 매우 강하다. 그런 그의 영역에 세상 물정 모르는 강태리가 겁도 없이 비집고 들어오려 한다.
자신이 지금 어떤 인물을 건드리는 건지 알지도 못한 채.

가장 빛나는 별은 아직 발견되지 않은 별
무엇을 해야 할지 더 이상 알 수 없을 때
그때 비로소 진정한 무엇인가를 할 수 있다
어느 길로 가야 할지 더 이상 알 수 없을 때
그때가 비로소 진정한 여행의 시작이다

─ 나짐 히크메트 〈진정한 여행〉 중에서

5

개인작

그림의

시간

겨울 바다

파도의 형태

우영, 눈이 붉은 남자

눈 오는 날

두 가지 흉터

검은 사내

배를 부순 인어

이어질 애정

바랜 빛

장면의 기억

꽃과 나비

산타의 어린 조수

고양이와 남자

쉬는 날의 스케치

비 오는 날의 여인숙

이집트의 라(Ra)

풀숲에서

마천루의 ___

___ 동상이몽

**저수리 작가의 <시맨틱 에러> '추상우' 팬아트**
어딘가에 실존할 것만 같은 대학생 상우. 누군가 폴라로이드 카메라로 촬영한 듯한 모습을 연출했습니다.

**오디오코믹스 캐릭터 '뚠끼'의 의인화**

일러스트 작업을 자주 함께한 오디오코믹스의 대표적인 캐릭터를 귀여운 인물로 표현하여 선물했습니다.
작품 속 인물들의 연애담을 전해주는 디제이를 연상했습니다.

마지막 기억에서 나는 눈을 맞고 있었다.
서리 낀 들판 위에서 그와 함께 쏟아지는 눈을 맞고 있었다.

&lt;산발&gt; '석지열과 장이원' 팬아트

<산발> '장이원' 팬아트
겨울과 아이스크림, 그리고 관심과 무관심의 대조가 두드러지는 장면을 그리고 싶었습니다.

일러스트

작업 과정

<단밤술래>

<힐러>

<레드 앤 매드>

<레드 앤 매드>

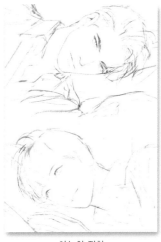
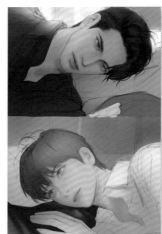

<아늑한 집착>

<노벰버>

<폐월회설>

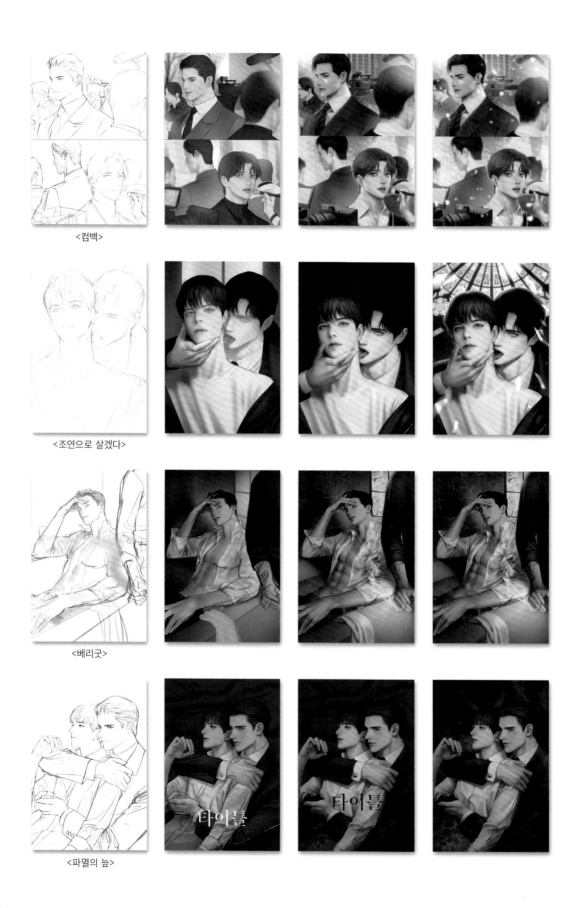

<컴백>

<조연으로 살겠다>

<베리굿>

<파멸의 늪>

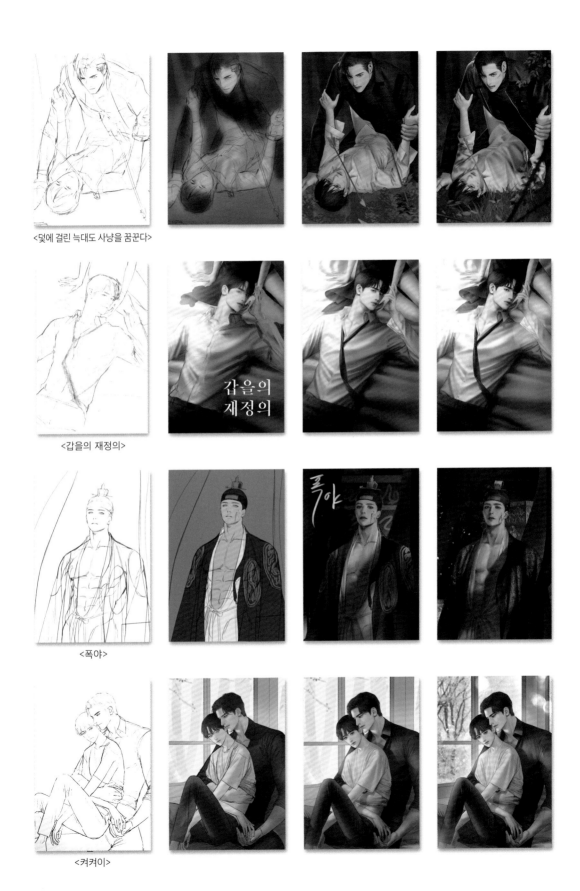

<덫에 걸린 늑대도 사냥을 꿈꾼다>

<갑을의 재정의>

<폭야>

<켜켜이>

<만약 신이 원하신다면>

<겨울 바다>

델타 일러스트집
애정의 형태 The shape of affection

**초판 1쇄 인쇄** 2023년 8월 30일
**초판 1쇄 발행** 2023년 9월 25일

**지은이** 델타
**펴낸이** 이진영 배민수
**기획·편집** 밀리&셸리
**디자인** urbook
**마케팅** 태리
**펴낸곳** (주)테라코타 **출판등록** 2023년 1월 13일 제2023-000019호
**주소** 서울특별시 강남구 남부순환로 2921, 164호
**메일** terracotta_book@naver.com
**인스타그램** @terracotta_book

ⓒ 델타, 2023
ISBN 979-11-981803-6-0 03650

• 이 책의 전부 또는 일부 내용을 재사용하려면 반드시 사전에 저작권자와
  (주)테라코타의 동의를 받아야 합니다.
• 인쇄·제작 및 유통상의 파본 도서는 구입하신 서점에서 바꿔드립니다.
• 책값은 뒤표지에 있습니다.